Van dezelfde auteur:

Schildknaap op het Muiderslot
Complot op het spoor
Onder vuur

Lees ook:

Martine Letterie
Fakkels voor de prinses
Aanval op het fort

www.arendvandam.nl
www.leopold.nl

Arend van Dam
Ridderfeest op het Muiderslot

Met illustraties van ivan & ilia

LEOPOLD / AMSTERDAM

De Nederlandse
Kinderjury
2008

AVI 7

Copyright © Arend van Dam 2007
Omslagtekening en illustraties ivan & ilia
Omslagontwerp Joen design
NUR 282 / ISBN 978 90 258 5107 1

Inhoud

1. Froukje

Ridder Berend staat midden in de ridderzaal van het Muiderslot. Zijn dochter Froukje loopt heen en weer met de stukken van zijn nieuwe harnas.

'Je moet wel stilstaan,' moppert ze. 'Anders kan ik je niet helpen.

'Wat doe je nu?' roept vader Berend uit. 'Je probeert een kniestuk aan mijn arm te binden. Dat kan toch niet! Had ik maar een echte page om me te helpen.'

Froukje draait zich boos om. Ze geeft het harnas een schop. Ratelend valt het andere kniestuk op de grond.

'Ik wil ook helemaal je hulpje niet zijn,' roept ze boos. 'Waarom zoek je geen ander?'

'Je hebt gelijk,' zegt haar vader. 'Ik heb een page nodig. Zo'n page kan, als hij goed zijn best doet, schildknaap worden. Ik heb een idee: mijn goede vriend Albert heeft een zoon van negen. Ik zou mijn vriend kunnen vragen of hij zijn zoon aan mij wil uitlenen als page. Dan heb ik hulp en ik kan de jongen opleiden tot schildknaap.'

'Vader, je bedoelt toch niet Diederik, dat vervelende joch?' Froukje moet er niet aan denken dat zo'n verwende jongen als Diederik bij hen op het slot komt wonen. Ze vraagt: 'Zal ik je harnassen voor je poetsen?'

'Dat zijn toch geen vrouwenzaken?' zegt haar vader lachend. 'Mannen worden geholpen door jongens.'

'En vrouwen worden geholpen door meisjes, toch?'

zegt Froukje slim. Zij kan ook wel wat hulp gebruiken. Een echte jonkvrouw heeft een kamermeisje dat haar helpt met haar kleren.

'Jij hebt tante Machteld om je te helpen en je alles te leren wat je weten moet. Het is al laat. Tijd om te gaan slapen.'

Ridder Berend duwt Froukje voor zich uit naar haar slaapkamer. 'Welterusten, dochter.'

Froukje blijft alleen achter. Ze wurmt haar armen uit de mouwen van haar jurk en schudt met haar heupen, zodat de jurk vanzelf naar beneden glijdt. Rillend stapt ze in bed. De muren van het kasteel zijn zo dik dat het bijna altijd koud is binnen.

Ze luistert naar de geluiden van de nacht. Meeuwen krijsen. Een pauw schreeuwt om aandacht. Op de muren houden soldaten de wacht. Froukje ligt veilig in haar warme bed.

Er klingelt een bel. Dat is vast haar vader, die wil dat de keukenmeid een glas wijn voor hem inschenkt.

Dan spitst Froukje haar oren. Er wordt op de poort geklopt. Wie zou dat zijn, zo laat op de avond?

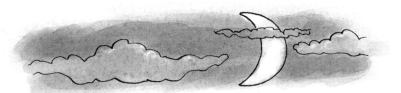

2. Roeland

Froukje luistert. Ze hoort de poort opengaan, en weer dicht. Dan hoort ze stemmen op het binnenplein. Het zijn vragende stemmen.

'Nee, daar heb ik echt geen behoefte aan,' hoort Froukje haar vader zeggen. Wat zouden de bezoekers hem hebben aangeboden? Etenswaar? Spullen uit verre landen?

Dan klinkt er plotseling muziek. Iemand tokkelt op de snaren van een luit. Het is een muzikant, die voor de poort staat!

Snel springt Froukje uit bed. Ze holt naar het raam. Beneden op het binnenplein staan een man met een luit en een jongen. De man begint een vrolijk lied te zingen. Maar slotvoogd Berend schudt zijn hoofd.

'Vader, vader!' roept Froukje. 'Je stuurt hen toch niet weg? We hebben juist behoefte aan een beetje plezier. Hun muziek zal ons opvrolijken.'

Ze ziet de schouders van haar vader omhooggaan, en dan weer naar beneden. Ze krijgt haar zin.

Maar de kennismaking met de gasten moet ze uitstellen tot morgen. 'En nu meteen terug naar je bed!' roept haar vader.

De volgende ochtend kan Froukje niet wachten tot ze de bezoekers ziet. Ze vindt de man en de jongen bij de meid in de keuken.

'Dank u wel, jonkvrouw,' zegt de oudste van de twee vriendelijk.

'Voor wat?' vraagt Froukje verbaasd.

'Mijn vader is blij dat u ons aan een slaapplaats hebt geholpen,' legt de jongen uit. 'We reizen van dorp naar dorp en van toernooi naar ridderfeest.'

'Eergisteren waren we nog in Utrecht,' vertelt de vader met volle mond. 'Daar was het kermis. De kinderen deden spelletjes. Er werd gedanst. En wij zorgden voor de muziek.'

'Als u wilt, kunnen we vanavond muziek voor u maken,' zegt de jongen. 'Mijn vader is speelman.'

'Graag,' zegt Froukje. 'Ik heet Froukje.'

'Ruger,' zegt de vader.

'En ik heet Roeland,' zegt zijn zoon.

Froukje eet van hetzelfde brood en van dezelfde homp kaas als de speelman en zijn zoon. Ze drinkt een kom slap ontbijtbier. Af en toe kijkt ze met een schuine blik

naar de jongen. Hij moet ongeveer even oud zijn als zij: negen jaar.

Roeland heeft vast al veel van de wereld gezien. Zijn kleren zijn gemaakt van stofjes in allerlei kleuren: paars fluweel, rood linnen en goudkleurige zijde. Allemaal stoffen waar jonkvrouwen jaloers op zijn. Een speelman heeft het niet slecht, begrijpt Froukje.

Ze pakt Roelands hand en zegt: 'Ik zal je het slot laten zien.'

Samen rennen ze de trappen op en af, over de muren van toren naar toren.

'Wat een doolhof,' zegt Roeland hijgend.

Ze kijken samen uit over de Zuiderzee. Er varen schepen met bolle zeilen.

'Daar is het dorp,' wijst Froukje. 'Daar wonen de gewone mensen.' Ze kijkt naar Roeland. Horen muzikanten ook bij de gewone mensen? Of zijn ze anders, omdat ze rondreizen?

Roeland doet of hij een boog spant. Hij legt aan en schiet een pijl in de richting van het dorp. 'We worden aangevallen door rovers!' schreeuwt hij vrolijk. En snel verstopt hij zich achter de kantelen.

'Als je je niet gedraagt, sluit mijn vader je op in de kerkers,' zegt Froukje.

Roeland schrikt. 'Echt?'

Froukje lacht. 'Nee, natuurlijk niet. Behalve als je mijn vaders paard probeert te stelen. Of zijn dochter ontvoert.'

'Ik zou best in een kasteel willen wonen,' zegt Roeland stoer. 'Elke week een jachtpartij, een toernooi of een feest.'

Froukje schudt haar hoofd. 'Was het maar waar,' zegt ze zacht.

Die avond richt de keukenmeid een feestmaal aan in de ridderzaal. Froukje, ridder Berend en tante Machteld gaan aan tafel. Er is gebraden zwaan. En er is muziek. De speelman zingt zijn liederen. Roeland begeleidt hem op een houten fluit en een tamboerijn. Om zijn enkel heeft hij een ring met belletjes eraan. Als hij met zijn voet op de grond stampt, twinkelt het door de zaal.

'Hebben jullie geen honger?' vraagt tante Machteld na een poosje.

De speelman knikt verlegen.

'Schuif aan,' zegt ridder Berend.

Ruger en Roeland verslikken zich bijna in de vette zwanenbout.

'U hebt een wonderschone dochter,' zegt de speelman tussen twee happen door. 'Is er al een page die een oogje heeft op Froukje van het Muiderslot?'

'Brrr, ik moet er niet aan denken,' zegt Froukje.

'Froukje maakt een grapje,' zegt ridder Berend. 'Binnenkort krijg ik inderdaad een page. Hij heet Diederik. Zijn vader is een edelman.'

Froukje trekt een boos gezicht. 'Die verwende aap?' Ze kijkt naar Roeland. Zou hij niet in Muiden willen blijven wonen om page te worden?

3. Page gezocht

Froukje loopt stampvoetend door de ridderzaal. 'Ik vind het niet eerlijk. Waarom wordt die Diederik voorgetrokken? Waarom krijgen andere jongens geen kans?'

'Maar Diederik lijkt me heel geschikt als page,' zegt haar vader. 'Ik kan hem een goede opleiding geven. Over een paar jaar wordt hij dan mijn schildknaap, en over tien jaar kan ik hem tot ridder slaan.'

'Diederik? Daar is die jongen veel te eigenwijs voor.'

'Een ridder mag eigenwijs zijn.'

'Volgens mij moet hij áárdig zijn. Vriendelijk en vooral bescheiden. Diederik is een opschepper.'

'Hij is sterk. Een ridder moet sterk zijn. En dapper.'

'Vader, geloof me, het is een angsthaas. Hij doet het in zijn broek als hij een zwaard ziet.'

'De moed komt met de jaren.'

Froukje zegt niets meer. Haar vader heeft gelijk. Diederik moet een kans krijgen om ridder te worden. Hij is niet voor niets de zoon van een edelman.

Op het binnenplein klinkt muziek. Froukje loopt de trap af. Onder de bomen zitten Ruger en Roeland. De speelman zingt:

Elke ridder heeft een knecht,
die bij hem is, in elk gevecht.

Wil de ridder zijn vijand slaan?
De page geeft hem zijn wapens aan.

Elke ridder heeft een vriend,
die hem te allen tijde dient.
Al is het met de ridder zelf gedaan,
dan blijft zijn page nog dapper staan.

Dan kijken vader en zoon op en stopt het gezang.
'We oefenen een nieuw lied,' zegt Roeland.

'Het gaat zeker over een verwend jongetje dat page wordt en dan schildknaap en dan ridder?' vraagt Froukje.

'Ik begrijp wat je bedoelt,' zegt de speelman. 'Vroeger ging dat wel anders. Vroeger moest een jongen bewijzen dat hij sterk en dapper was. Alleen dan kon hij ridder worden. Nu worden sommige jongens tot ridder geslagen, alleen maar omdat hun vader ook ridder is.'

'Waarom kan een jongen als Roeland geen ridder worden?' vraagt Froukje zich hardop af.

'Ik?' vraagt Roeland verbaasd.

'Ja, jij,' zegt Froukje. 'Of andere jongens uit het dorp. De zoon van de smid kan heus wel een zwaard vasthouden. En de zoon van boer Harm kan vast heel goed paardrijden.'

'Een wedstrijd...' zegt de speelman peinzend. 'Een wedstrijd voor jonge pages, dat zou wat zijn.'

'Een ridderfeest!' zegt Froukje. 'Ik ga meteen mijn vader zoeken.'

Maar pas onder het eten krijgt Froukje de kans haar vader te spreken.

Tante Machteld zet een verrukkelijke pastei op tafel. 'Vandaag is restjesdag,' zegt ze.

'Mmm, lekker,' zegt Froukje, 'zwanenpastei.' Ze neemt een flinke hap.

'Morgen komt Diederik,' zegt vader Berend.

Froukje gaat staan, ze zet haar handen in haar zij en zegt: 'Ik vind dat alle jongens een eerlijke kans moeten krijgen. Kun je niet een wedstrijd houden?'

'Jongens met elkaar laten vechten?'

'Waarom alleen vechten?' vraagt Froukje. 'Een ridder moet ook kunnen dansen. Hij moet laten zien dat hij beleefd en aardig is tegen vrouwen.'

'Jongens met elkaar laten dansen?'

'Ze dansen natuurlijk met de meisjes!' roept Froukje lachend uit. 'De jongens moeten opdrachten uitvoeren. En de winnaar wordt jouw page.'

'Een wedstrijd...' zegt ridder Berend. 'Ik vind het eigenlijk wel een goed idee. Ik ben benieuwd wat Diederik daarvan vindt.'

4. Diederik

De volgende dag laten de speelman en zijn zoon zich niet zien. Froukje kan hen nergens vinden.

'Ze logeren in de herberg,' zegt haar vader. 'Het kan niet alle dagen feest zijn.'

'En het ridderfeest?' waagt Froukje te vragen.

'Geduld, mijn lieve dochter. Heb geduld. Vandaag krijgen we bezoek. Ga tante Machteld maar helpen met het opmaken van de bedden.'

Mopperend gaat Froukje aan het werk. Ze maakt de bedden op. Ze veegt de vloeren. Allemaal klusjes waar een jonkvrouw haar neus voor ophaalt.

Over de ophaalbrug denderen karrenwielen.

'Dat zal Diederik zijn,' zegt tante Machteld opgewekt. 'Ga je mee?'

Froukje huppelt achter haar tante aan het binnenplein over. Nieuwsgierig kijkt ze naar de kar op het binnenplein. Maar Diederik is nergens te bekennen.

Tante Machteld geeft de koetsier aanwijzingen. 'Die kist kan naar de slaapvertrekken. En breng die kist maar naar de ridderzaal.' Dan wijst ze plotseling door de poort en vraagt aan Froukje: 'Wat is dat voor een nietsnut die daar op de brug zit?'

Froukje kijkt. Er zit een jongen op de brugleuning. 'Dat is Roeland, de zoon van de speelman.'

'Hij kan best even komen helpen,' vindt tante Machteld.

Froukje wenkt. Roeland laat zich van de leuning glijden en slentert het binnenplein op.

'Steek je handen maar uit de mouwen, jongen,' zegt Froukjes tante beslist.

Roeland helpt. Hij sjouwt met kisten. Hij sleept met zakken. Maar het gaat niet van harte.

Als de kar leeg is, wordt het paard er weer voor gespannen. Paard en wagen verdwijnen over de ophaalbrug. Roeland loopt achter de kar aan. Op de brug draait hij zich om en roept: 'Frouk, kom eens kijken. Heb je wel eens een strozak op een paard zien zitten?'

Froukje loopt door de poort de ophaalbrug op.

Roeland wijst. Over het pad langs de Vecht sjokt een paard. Op het paard hangt een jongen onderuitgezakt in

het zadel. Page Diederik is in aantocht.

Vlak voor het kasteel brengt de jonge graaf zijn paard tot stilstand.

'Hou mijn paard eens vast!' roept hij tegen Roeland.

'Doe het zelf,' zegt Roeland. 'Ik ben je knechtje niet.'

Froukje schiet in de lach. Snel pakt ze de leidsels en helpt Diederik uit het zadel. Als de jongen op zijn twee benen staat, vraagt hij: 'Is ridder Berend klaar om mij te ontvangen?'

'Zou je niet liever eerst bij de keukenmeid langsgaan?' vraagt Froukje. 'Lies zal je met alle plezier iets toestoppen. Je ziet er uitgehongerd uit.'

'Graag,' zegt Diederik. 'Breng me naar de keuken.'

Roeland maakt een diepe buiging en zegt: 'Volg mij, graaf Diederik. Ik zal ervoor zorgen dat het u aan niets ontbreekt.'

Froukje schudt haar hoofd. Als die twee jongens maar geen ruzie met elkaar krijgen.

5. De aankondiging

Diederik zit op een bankje voor de keukendeur. Hij propt alles naar binnen wat Lies hem voorzet: roggebrood, worst, kaas, vlees en vis. Froukje en Roeland kijken toe.

Ridder Berend en tante Machteld dalen de stenen kasteeltrap af.

'Kijk eens wie we daar hebben,' zegt Froukjes vader.

Diederik wordt hartelijk begroet. Ridder Berend zegt: 'Ik hoop dat je het hier naar je zin zult hebben. Straks zal Froukje je wijzen waar je slaapt: in de herautenkamer, tussen de soldaten. Maar eerst wil ik graag dat jullie voor mij op zoek gaan naar Roelands vader. Hij moet in het dorp een ridderfeest aankondigen. Het wordt een wedstrijd; alle jongens mogen meedoen. De winnaar wordt

mijn nieuwe page. Ik zal hem opleiden tot schildknaap.
Het feest wordt gehouden op het voorplein, aanstaande
zaterdag, als de klok negen uren heeft geslagen.

'En ik dan?' vraagt Diederik geschrokken.

Ridder Berend haalt zijn schouders op. 'Je kunt toch
gewoon meedoen? Dat de beste mag winnen.'

'En de meisjes?' roept Froukje uit.

'Voor de meisjes maken we een mooie tribune,' zegt
tante Machteld. 'De meisjes mogen de jongens aanmoe-
digen en de winnaar toejuichen.'

'Maar er komt toch wel een bal?' vraagt Froukje. 'Ik wil
dat er wordt gedanst. Een page moet kunnen dansen.'

'Je hebt gelijk,' zegt haar vader. 'Een echte ridder kan
niet alleen goed vechten, maar ook dansen en gedichten
schrijven. Het wordt een wedstrijd en een feest voor
iedereen, ook voor de meisjes.'

'Fijn, dan ga ik borduren,' zeg Roeland lachend. Maar
niemand lacht mee. Ridder Berend kijkt hem streng aan.
'En nu wegwezen,' zegt hij.

Froukje en de twee jongens wandelen langs de Vecht het
dorp Muiden in. In de herberg 'Graaf Floris' vinden ze
Roelands vader.

'U moet een feest aankondigen,' vertelt Roeland hem.

'Het wordt een wedstrijd,' vult Froukje aan. 'Meisjes
mogen ook meedoen.'

'Ik vind het een belachelijk plan,' zegt Diederik. 'Meisjes doen nooit mee aan een toernooi. En gewone jongens
kunnen geen ridder worden. Mijn vader is een graaf. Ik
word toch ook geen boer, of bakker of... speelman?'

Ruger barst uit in een schaterende lach. 'Nou, nou, die zit. Deze jonge edelman is diep beledigd! Daar kan ik vast een aardig liedje over verzinnen.'

Hij zingt:

Hadden mensen zekerheid,
dan werd een prinses nooit keukenmeid
De keukenmeid zou, als het kon,
nooit schieten met een scheepskanon.

De molenaar bouwde een kasteel,
en maalde niet om tarwemeel.
Maar voor alle duidelijkheid:
een speelman raakt nooit zijn liedjes kwijt.

Als Ruger is uitgezongen, blijft het even stil.

Froukje kijkt naar de speelman. Wat bedoelt hij met zijn lied? Bedoelt hij dat alle mensen ontevreden zijn? Wil hij zeggen dat een keukenmeid nooit prinses kan worden?

En kan de zoon van een speelman nooit page worden op een ridderkasteel?

Op de terugweg kijkt ze met andere ogen naar het Muiderslot. De vier ronde torens steken trots de lucht in. Als haar vader geen ridder was, waar zou ze dan wonen? Tussen de gewone kinderen in het dorp? Op een boerderij? Of in een van de kleine vissershuisjes langs het water?

6. Borduren

'Kijk, Froukje, zo doe je dat.'

'Ja, tante,' zegt Froukje. Maar in plaats van te kijken, staart ze uit het raam. Ze denkt aan het ridderfeest.

Tante Machteld legt haar hand op Froukjes arm. 'Je wilt toch wel leren borduren?'

'Moet het echt, tante?' vraagt Froukje. 'Moeten meisjes thuiszitten, terwijl de jongens op avontuur gaan?'

'Wat wil je dan?' antwoordt Froukjes tante. 'Een harnas aan en de vijand tegemoet?'

'Ik weet het niet,' zegt Froukje zuchtend. 'Maar ik zou best willen paardrijden. Dan kon ik meedoen met de valkenjacht. Waarom zijn alle leuke dingen voor de jongens? Zijn mannen belangrijker dan vrouwen?'

'Kind, hoe kom je erbij?' roept tante Machteld verbaasd uit. 'Vrouwen zijn net zo belangrijk! Een graaf heeft een gravin. Een koning heeft een koningin. Een vrouw hoeft niet te vechten om belangrijk te zijn. Wij praten mee. Wij beslissen mee.'

'Maar dat kan toch ook zonder te borduren,' zegt Froukje.

'Borduren hoort erbij, kind. Kom, doe een draad in de naald. We beginnen met het paard.'

Froukje peutert een bruine draad door het piepkleine oog van de naald. Dan steekt ze de naald in het borduurwerk. Op en neer, op en neer, op en neer.

'Tante...'

'Ja?'

'Wat moeten meisjes dan allemaal kunnen om net zo belangrijk te zijn als de jongens?'

'Behalve borduren? Nou, eh... dansen en zingen, muziek maken, goede manieren hebben, eerlijk en oprecht zijn. En ten slotte: zich overal mee bemoeien zonder dat de jongens het in de gaten hebben.'

Froukje luistert aandachtig. Terwijl ze luistert, gaan haar naald en draad op en neer door het gaas. Langzaam komt het paard dat tante Machteld daarop heeft getekend, tevoorschijn.

Af en toe gilt Froukje: 'Au!' en dan krijgt het bruine paard een rood stippeltje op zijn vacht. Maar ze is niet bang voor een druppel bloed. IJverig borduurt ze verder. Als het even kan, moet dat paard vandaag nog af.

Ze had nooit gedacht dat borduren zo leuk was. Nu maar hopen dat er in het dorp geen meisjes zijn die het veel beter kunnen dan zij!

7. Te wapen

Diederik en Roeland kijken rond in de wapenzaal. Er staan rekken met zwaarden, lansen en pieken. Er staan ook harnassen opgesteld. Aan de wanden hangen schilden, vaandels en banieren. Diederik pakt een zwaard uit het rek.

'Mag je daar wel aankomen?' vraagt Roeland. 'Dat is een zwaard van ridder Berend.'

'Natuurlijk mag ik dat,' antwoordt Diederik uit de hoogte. 'Ik word toch zelf ook ridder? Ik ben de zoon van Diederik de Tweede. Mijn opa was Diederik de Eerste. Hij was een grote held. Hij heeft in zijn eentje vier roofridders verslagen. Ik durf te wedden dat jij nog nooit met een zwaard hebt gevochten.'

'Jij wel?' vraagt Roeland verbaasd.

Diederik tilt met moeite het zwaard op, houdt de punt voor Roelands neus en zegt: 'Natuurlijk.'

'Mag ik vragen wat jullie aan het doen zijn?' Plotseling staat ridder Berend in de wapenzaal. 'Zet weg dat zwaard!'

Snel zet Diederik het zwaard terug in het rek. 'Ik... ik wilde Roeland laten zien hoe je met een zwaard moet vechten.'

'Jongens vechten niet met echte zwaarden,' zegt ridder Berend. 'Jullie krijgen zwaarden van hout.'

Uit een kist haalt hij twee schilden en twee zwaardjes.

'Hier,' zegt hij. 'En nu opgehoepeld. Laat op het binnenplein maar eens zien wat je kunt.'

De jongens lopen weg. Halverwege de wenteltrap
houdt Diederik Roeland staande en vraagt: 'Draai je eens
om. Probeer je eens te verdedigen met je zwaard.' Hij
deelt een paar slagen uit.

Roeland is kansloos. Met zijn zwaard in zijn rechter-
hand kan hij niets uitrichten tegen Diederik.

'Begrijp je nu waarom de wenteltrap in een kasteel altijd rechtsom draait als je naar boven loopt? Dat is zo gedaan om het de vijand moeilijk te maken. Dat soort dingen hoort een page te weten.'

'Lekker belangrijk, hoor,' mompelt Roeland. Hij zint op wraak. Op het binnenplein springt hij meteen op Diederik af en geeft hem een flinke klap met zijn zwaard.

Diederik is te laat om met zijn schild de klap af te weren. Zijn schouder wordt geraakt en hij wankelt op zijn voeten. 'Je speelt niet eerlijk,' roept hij geschrokken uit. Dan stort hij zich woedend op zijn tegenstander.

Wat de jongens niet zien, is dat Froukje en haar tante vanuit de ridderzaal toekijken.

'Jongens denken alleen maar aan vechten,' zegt tante Machteld hoofdschuddend.

'En ze houden zich ook helemaal niet aan de regels,' zegt Froukje. 'Straks wordt het ridderfeest één grote vechtpartij.'

'Nee, hoor!' zegt haar tante. 'Daar steken wij een stokje voor. Kom, we gaan je vader zoeken.'

Ze vinden ridder Berend in de wapenzaal. Hij poetst zijn schild.

'Zien jullie nu wel dat ik een page nodig heb,' zegt hij met een zucht. 'Heb je ooit een ridder gezien die zijn eigen schild moet schoonmaken?'

'Wij maken ons zorgen,' zegt tante Machteld. 'Dat ridderfeest draait op vechten uit.'

'Gaan de dames zich met mannenzaken bemoeien?' zegt Froukjes vader lachend.

Tante Machteld pakt de poetsdoek uit de handen van haar broer en begint geduldig te poetsen. 'Echt, Berend, je moet die jongens een lesje leren.'

'Wees niet bang, schone jonkvrouwen, er zal tijdens het feest niet worden gevochten.'

'Niet?' vraagt Froukje verbaasd.

'Ik zoek geen page die kan vechten, ik zoek er een die kan luisteren, die kan samenwerken. En dat zullen de jongens ook gaan doen. Ik geef ze een paar bijzondere opdrachten.'

'Toe, vader, vertel wat je van plan bent,' smeekt Froukje.

Voor haar vader antwoord kan geven, klinkt er vanaf het binnenplein een angstige schreeuw.

Froukje holt naar het raam. Onder zich ziet ze tot haar schrik Roeland aan de rand van de waterput bungelen. Gillend laat hij zich door Diederik omhoog trekken. Als hij in veiligheid is, voelt hij voorzichtig aan zijn achterhoofd. Dan kijkt hij naar zijn hand. Die is rood.

'Help, bloed!' schreeuwt Diederik. Het scheelt niet veel of de jongen valt flauw van schrik.

'Wat zijn het toch een helden!' zegt ridder Berend lachend.

8. Slingers

Op het voorplein wordt hard gewerkt. De dorpsjongens sjouwen met banken; ze bouwen kramen en zetten tenten op. De meisjes mogen slingers maken van bloemen en groen.

Tante Machteld legt uit hoe een guirlande wordt gemaakt. 'Je maakt een weefsel van takken, bladeren en bloemen,' zegt ze. De meisjes uit het dorp kijken toe hoe de jonkvrouw in een handomdraai een kleurige slinger in elkaar draait.

'En nu jullie, meiden,' zegt tante Machteld. 'Kijk maar naar Froukje.'

Froukje bloost. Snel pakt ze een paar van de klimoptakjes. Aarzelend doen de meisjes na wat zij doet. Froukje kijkt naar hun ruwe handen. Plotseling beseft ze dat deze meisjes gewend zijn om hard te werken. Ze moeten vast elke dag hun moeder helpen. Misschien doen ze wel de was en boenen ze de vloeren. Maar bloemenslingers hebben ze vast nooit eerder gemaakt.

Als er een paar slingers af zijn, zegt Froukje: 'Zullen we ze ophangen?'

Zwijgend helpen de meisjes haar om de slingers aan de kraampjes vast te maken.

Durven die meiden helemaal niets te zeggen? Froukje moet iets bedenken om hen aan de praat te krijgen.

'Jullie komen toch ook dansen op het bal?' vraagt ze.

Een paar van de meisjes knikken verlegen.

'Doen jullie dan wel je mooiste kleren aan?' gaat Froukje door.

Ze krijgt geen antwoord. Heeft ze iets verkeerds gezegd? Misschien hebben deze meisjes wel geen mooiere kleren dan de rokken en schorten die ze nu dragen.

Een andere vraag dan maar.

'Wie denken jullie dat er gaat winnen?' probeert Froukje.

Plotseling beginnen alle meisjes door elkaar te praten.

'Jongeheer Diederik is natuurlijk de beste.'

'Maar de zoon van de speelman is ook heel slim.'

'Herman, de zoon van boer Harm, kan goed paardrijden.'

'Vergeet Helmer niet.'

'Ja, Helmer. Ik weet zeker dat Helmer wint.'

'Wie is Helmer?' vraagt Froukje aan het laatste meisje.

'Helmer is de zoon van de smid,' luidt het antwoord.

De andere meisjes roepen lachend: 'Helmer is Frida's tweelingbroer.'

'Ja, hoe heten jullie eigenlijk?' wil Froukje weten.

De meisjes noemen hun namen: Riek, Frida, Rixt, Griet en het kleinste meisje heet Klaasje.

'Ik heet Froukje van Dorenweerd,' zegt Froukje. 'Mijn vader is slotvoogd van graaf Floris.'

'Dat weten we toch,' zegt Klaasje giechelend. 'Iedereen kent je. Je hebt geen moeder meer, maar wel een heel lieve tante. Is het leuk om in een kasteel te wonen? Kun je goed dansen? En kun je ook al lezen en schrijven?'

Eén voor één beantwoordt Froukje alle vragen. 'Ja hoor, het is wel fijn om daar te wonen. Maar ook een beetje eenzaam. Ik kan wel dansen, maar nog niet lezen en schrijven.'

'Wil je ons leren dansen?' vraagt Griet.

'Ja, ik wil dansen!' roept Rixt uitgelaten.

'We kunnen wel raden met wie,' zegt Klaasje.

'Met wie dan?' vraagt Froukje nieuwsgierig.

'Met Roeland!' roepen de meisjes in koor.

Rixt krijgt een kop als vuur.

'De speelman en zijn zoon logeren in de herberg,' legt Klaasje uit. 'De herbergier is de vader van Rixt.'

Als alle slingers hangen, neemt Froukje de tijd om rond te kijken. De jongens zijn bezig balken op te stapelen. Ook Roeland helpt daarbij.

'Roeland!' roept Froukje. 'We hebben je nodig.'

Langzaam komt Roeland haar kant op lopen.

'Je moet muziek voor ons maken,' zegt Froukje. 'We willen een dansje oefenen.'

Met een paar woorden maakt ze de andere meisjes duidelijk wat ze moeten doen. 'Ga maar tegenover elkaar staan.' Ze wijst: 'Jullie zijn de jongens en jullie zijn de meisjes. Het wordt een reidans. Roeland, zet maar in.'

Aarzelend begint Roeland op de houten fluit te blazen. Hij stampt met zijn voet. De belletjes aan zijn enkels geven het ritme aan.

Froukje doet de dans voor. De meisjes volgen haar voorbeeld. Ze krijgen de smaak snel te pakken. Riek danst als een echte kerel, in haar kapotte broek. Ze danst met Griet. Dat is de dochter van een koopman en zij ziet er in haar mooie jurk uit als een echte jonkvrouw. Steeds sneller gaat de muziek. En steeds wilder dansen de meisjes in het rond.

Froukje kijkt naar Roeland. Zijn muziek maakt haar vrolijk. Wat speelt hij goed! Maar hij let helemaal niet op haar, hoe goed ze ook danst. Er is maar één meisje waar Roeland naar kijkt: Rixt. De dochter van de herbergier wervelt met rode konen over het voorplein.

Plotseling heeft Froukje genoeg van het dansen. Ze klapt in haar handen. 'We stoppen ermee!' roept ze en met grote passen loopt ze over de slotbrug naar het binnenplein.

Dit is haar kasteel! Die meiden uit het dorp moeten niet denken dat ze hier thuishoren. En trouwens, Roeland was toch háár vriend?

9. In de keuken

Als Froukje langs de keuken loopt, verschijnt Dikke Lies in de deuropening. 'Fijn dat je er bent,' zegt ze. 'Ik heb hulp nodig. Roep eens een paar van die dorpskinderen. Het deeg moet worden gekneed en de hoenderen zijn nog niet geplukt.'

Froukje trekt een lelijk gezicht. Ze piekert er niet over om te doen wat Lies vraagt. Een jonkvrouw roept niet.

Gelukkig komt Diederik aanlopen.

'Is er iets met je?' vraagt hij bezorgd.

'De keukenmeid heeft hulp nodig,' zegt Froukje. Ze wijst naar de kinderen op het voorplein. 'Kun jij ze niet even roepen?'

Diederik blijft stokstijf staan.

'Jij wilt toch page worden?' vraagt Froukje met een gemeen lachje.

Op een holletje verdwijnt Diederik over de slotbrug. Froukje ziet nog net dat hij zijn tong naar haar uitsteekt.

Even later is het een gezellige boel in de keuken van het kasteel. De dorpskinderen kijken hun ogen uit. Zoveel eten hebben ze nog niet vaak bij elkaar gezien!

Braaf doen ze wat Lies hun opdraagt. De meisjes kneden het deeg. De jongens stoken het vuur in de haard op. Als ze daarmee klaar zijn, stuurt de keukenmeid hen naar buiten met een ketel heet water. Ze geeft ieder van hen een parelhoen om te plukken.

Eén voor één dompelen de jongens hun hoen in het hete water: dan laten de veren makkelijker los.

Froukje kijkt toe. Ze weet niet goed wat ze ervan moet denken. Het lijkt wel of de jongens en meisjes langzaam bezit nemen van het kasteel. Aan de andere kant: dat wilde ze toch, vriendjes om mee te spelen?

'Steek jij je handen ook eens uit de mouwen.' Tante Machteld houdt haar een schort voor. Voor Froukje het weet, staat ze tussen de dorpsmeisjes deeg te kneden. Haar tante doet voor hoe ze van een bolletje deeg een broodbord kunnen maken.

Af en toe kijkt Froukje naar buiten. Voor de keuken zitten de jongens veren te plukken. Ze maken er een wedstrijd van. Zelfs Diederik doet mee.

'Gewonnen!' roept Roeland. Trots steekt hij het kaalgeplukte hoen in de lucht.

Met Froukjes broodbord wil het maar niet lukken. Ze duwt en trekt aan het deeg, maar wat ze ook doet: het wil niet rond worden.

'Zal ik je helpen?' vraagt Klaasje.

Froukje kijkt op. Het meisje met de grappige vlechtjes heeft al zeker tien broodborden af.

'Laat maar,' zegt Froukje.

Tante Machteld komt naast haar staan. 'Voel je je te goed om hulp aan te nemen?'

Froukje krijgt een kop als vuur. Doet ze dan alles verkeerd? Ze vlucht naar buiten, de keuken uit. Tante Machteld komt achter haar aan.

Op het binnenplein loopt Froukje recht in de armen van haar vader. 'Wat is er aan de hand?' vraagt hij.

'Ik moest helpen,' zegt Froukje half huilend. Met een ruk doet ze het schort af. Meel stuift in het rond.

'Natuurlijk moet je helpen,' zegt vader Berend. 'Nietwaar, Machteld?'

'Dat vind ik ook,' zegt Froukjes tante.

Froukje kijkt hen boos aan.

'De jongens doen geweldig hun best,' vertelt tante Machteld aan haar broer. 'Vooral Diederik en Roeland. Ze doen niet voor elkaar onder. Zonder mopperen doen ze alle klusjes.'

'Ze krijgen allebei een punt,' zegt ridder Berend.

Froukje weet niet wat ze hoort. Er worden punten uitgedeeld! Zonder dat ze het wist, is de wedstrijd al begonnen.

'En de meisjes?' wil Froukjes vader weten.

'Ik ben vooral onder de indruk van die Klaasje,' vertelt tante Machteld. 'Dat kind kan werken! En ze helpt ook nog eens de andere kinderen.'

Froukje verschiet van kleur. Klaasje wordt geprezen om haar hulpvaardigheid. En zij dan? Zij bakt er helemaal niets van! Dat kan ze niet op zich laten zitten!

Snel pakt ze haar schort weer op en rent terug naar de keuken.

10. Een geheim op rijm

Over de ophaalbrug komt de speelman het binnenplein op lopen.

'Je komt me toch niet halen?' vraagt Roeland.

De speelman schudt zijn hoofd. 'Ridder Berend heeft me nodig. We gaan gedichten schrijven.'

Froukje steekt haar hoofd buiten de keukendeur.

'Schrijven?' vraagt ze. 'We kunnen nog helemaal niet schrijven.'

'En daarom hebben jullie mij nodig,' zegt de speelman. 'Wat is een goede plek, waar het stil is?'

'In de kapel,' antwoordt Froukje. 'Daar staat een tafel met schrijfspullen.'

Achter de speelman aan wentelen de kinderen omhoog de trappen op.

In de kapel is het donker. Speelman Ruger steekt de kaarsen aan, doopt een ganzenveer in de inkt en zegt:

'Vertel me je geheimen,
dan gaan we samen rijmen.'

Froukje kijkt naar de dorpskinderen. Ze zeggen niets. Afwachtend kijken ze naar Froukje. Moet zij beginnen?

Plotseling schieten haar woorden te binnen. Zacht begint ze:

'Ben je wel eens in Muiden geweest?
Daar komt een heel groot ridderfeest.'

Speelman Ruger knikt haar vriendelijk toe. 'Heel goed. Wie gaat er verder?' Hij kijkt de kring rond.

Griet doet een stapje naar voren en zegt:
'*Vooral de jongens vinden dat fijn,*
want wie wint zal de nieuwe page zijn.'
'*Als je niet zeker weet dat je kunt winnen,*' roept Diederik,
'*kun je er beter maar niet aan beginnen.*'

Froukje ziet dat Diederik met een schuin oog naar Roeland kijkt, maar die staart stil voor zich uit.

'En jij, Herman?' vraagt de speelman.

'Ik zorg liever voor de koeien,' zegt Herman verlegen. 'Een boer kan nooit een ridder zijn.'

'Dat rijmt niet, sukkel,' zegt Helmer. 'Op koeien rijmt: knoeien en snoeien en...'

'Ik weet het al,' roept Rixt.
'*Herman zorgt liever voor de koeien*
en Helmer moet zich er niet mee bemoeien!'

Ze krijgt een luid applaus.

'Wat rijmt er op Muiderslot?' vraagt speelman Ruger.
'*Het is een lelijk krot.*'

'Wat rijmt er op zwaard?'
'Een echte ridder heeft een zwaard,
maar zonder paard is hij niets waard.'
'Wat rijmt er op trouwen?'
Alle kinderen beginnen door elkaar te roepen.
'Bouwen.'
'Jonkvrouwen.'
'Vertrouwen.'
'Klauwen.'
'Hoeveel moet je van Froukje houwen,
om met haar te mogen trouwen?'
Dat laatste zei Helmer, maar iedereen kijkt naar Roeland. Froukje hoopt dat niemand ziet hoe rood haar gezicht wordt.

Roeland doet of hij niets heeft gehoord. Hij gaat staan en zegt:
'Ben je wel eens in Muiden geweest?
daar komt een heel groot ridderfeest.
Ridder Berend zal de winnaar belonen:
hij mag op het slot blijven wonen.
Wie zal na dit groots festijn,
Berends nieuwe page zijn?
De zoon van een boer of een herbergier,
van een smid of van een valkenier?
Of is Diederik er toch al zeker van?
Want hij is de zoon van een edelman...'

Roeland besluit zijn gedicht met een knieval voor Froukje. Maar geklapt wordt er niet. Alle kinderen hebben gezien dat ridder Berend de kapel binnenkwam om mee te luisteren.

Even is Froukje bang dat haar vader boos zal worden om het brutale gedicht van Roeland. Maar de ridder vraagt: 'Mag ik ook meedoen?'

'Graag,' zegt de speelman.

En ridder Berend begint zijn gedicht voor te dragen:

'Elke koning heeft in zijn paleis
een hofnar die heel eigenwijs,
de hele dag door doet alsof.
Hij woont bij de koning aan het hof.
Maar wie drijft hier met mij de spot,
in mijn eigen Muiderslot?
Het is de zoon van de muzikant.
Ik heb óók een nar, hij heet: Roeland.'

Nu wordt er geklapt. Alle kinderen begrijpen dat de ridder niet boos is. Froukjes vader kan wel tegen een grapje.

Froukje kijkt naar Roeland. Die slaat zijn ogen neer.

Ridder Berend klapt in zijn handen. 'En nu is het tijd om naar bed te gaan. Morgen moeten jullie weer vroeg op. Dan gaat het feest beginnen.'

De kinderen verdwijnen door de poort en wandelen naar hun eigen huis in het dorp, of naar een van de boerderijen.

Froukje kijkt hen na. Achteraan lopen de speelman en zijn zoon. Ze heeft wel bewondering voor Roeland. Hij is voor niemand bang. Zelfs niet voor een edelman. En hij kan rijmen als geen ander. Hij heeft vast een punt verdiend.

Dan blaast ze samen met haar vader de kaarsen uit.

11. In de roos

De volgende dag is Froukje al vroeg op. Tante Machteld helpt haar met haar kleren.

'Ik doe mijn mooiste jurk aan,' zegt Froukje. Ze kiest een jurk van paars fluweel, met mouwen van kant.

'Zou je dat wel doen?' vraagt haar tante. 'Word je dan niet vuil?'

'Een jonkvrouw wordt nooit vuil,' antwoordt Froukje. Ze steekt haar armen hoog in de lucht en laat de jurk over haar schouders glijden.

'Hij staat je beeldig!' roept tante Machteld uit. 'Zullen we naar buiten gaan? Aan het lawaai te horen, gaat het feest bijna beginnen.'

Aan de arm van haar vader schrijdt Froukje over de slotbrug naar het voorplein.

'Kind, wat zie je er feestelijk uit,' zegt ridder Berend. 'Maar ik dacht dat je wilde meedoen?'

'Dat is ook zo,' zegt Froukje. 'Maar ik kan mij toch niet in mijn gewone kleren aan het volk vertonen? Het is feest vandaag!'

Op het voorplein staat alles klaar voor het ridderfeest. De zon schijnt. De vaandels wapperen in de wind. Er staan kraampjes met eten. Al die kraampjes zijn versierd met bloemslingers.

Dikke Lies zet kommen klaar. Een van de kasteelwachten komt aanrollen met een bierton.

'Jammer dat er nog geen kinderen zijn,' zegt Froukje.

'Die zullen zo wel komen,' zegt haar vader.

Dan klinkt vanaf de kasteelmuur plotseling het getoeter van een hoorn. Froukje kijkt omhoog. Daar staat Diederik. Hij zwaait naar haar en roept: 'Ik zie ze al komen.'

Froukje tuurt in de verte. Daar komen, in een hele optocht, de dorpskinderen aanwandelen. Voorop lopen de speelman en zijn zoon. Zij slaan op hun trommels en rinkelen met hun bellen. Ze herkent Frida en Helmer, de kinderen van de smid. Tussen hen in huppelt de kleine Klaasje op haar blote voeten. Herman, de boerenzoon, heeft een houten zwaard tussen zijn riem gestoken. Rixt en Griet dragen samen een mand met lekkernijen.

Froukje springt op en neer van blijdschap. Eindelijk gaat het feest beginnen!

Alle kinderen gaan om Froukje en haar vader heen staan. Langzaam stroomt het voorplein vol met ouders, opa's, oma's, buren, vrienden, soldaten, meiden, boeren en vissers.

Dan stopt de muziek en iedereen kijkt afwachtend naar ridder Berend.

'Fijn dat jullie er allemaal zijn,' zegt de kasteelheer. 'Welkom op het Muiderslot. Vandaag is het een bijzondere dag. Het is een feestdag voor de kinderen. Zij willen ons graag laten zien wat ze kunnen. Boogschutters, zet de schietschijven maar klaar. We beginnen met een wedstrijd boogschieten. Dat de beste mag winnen.'

De soldaten van ridder Berend zetten houten driepoten op een rij. Ze hangen er ronde schijven aan. Dan delen ze bogen en pijlen uit aan de jongens. De meisjes kijken toe.

'Ik dacht dat wij mochten meedoen?' zegt Riek brutaal. Nu ziet Froukje het pas: Riek heeft haar haar opgestoken. Ze draagt een broek en een kiel, als een jongen.

'Zijn er nog meer meisjes die willen schieten?' vraagt ridder Berend.

Eén voor één gaan de vingers omhoog. Geen van de meisjes wil achterblijven.

Het schieten kan beginnen. De schutters staan in vier rijen. Elk kind mag steeds vijf pijlen afschieten. Daarna is de volgende aan de beurt. Aanleggen, pees aanspannen en loslaten.

De eerste pijlen vliegen kriskras door de lucht. Alleen

Herman slaagt erin de schietschijf te raken.

Dan zijn Roeland, Diederik, Riek en Froukje aan de beurt.

'Dat kan toch niet al te moeilijk zijn,' zegt Froukje. Ze legt aan en schiet. Mis.

Ook Roeland kijkt teleurgesteld naar zijn schietschijf. Geen van zijn eerste drie pijlen raakt de roos.

'Je moet de pijl tussen je wijsvinger en je middelvinger leggen,' legt Diederik hem uit. Hij doet voor wat hij bedoelt. 'Dan span je langzaam de pees. Trek hem helemaal naar je toe, tot aan je rechterwang. Nu kijk je langs je pijl naar het doel. Richt een klein beetje hoger, want een pijl gaat nooit helemaal recht. Hoe verder hij komt, hoe meer hij gaat vallen.'

Roeland doet of hij niets hoort, maar hij doet precies wat Diederik hem vertelt. Hij spant zijn boog en richt. De pijl vliegt door de lucht en belandt in het midden van de roos.

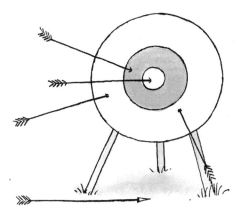

'Raak!' schreeuwt Roeland.

Hij legt opnieuw aan en ook zijn laatste pijl komt in de roos.

Froukje kijkt verbaasd toe. Het is bijna niet te geloven: Roeland heeft twee keer raak geschoten. Maar wat haar nog meer verbaast is dat Diederik er niets van bakt. Zijn pijlen hebben wel de schijf geraakt, maar ze hangen er zielig bij, helemaal aan het randje. En dat terwijl hij Roeland zo goed geholpen heeft.

Met een groot applaus wordt Roeland tot winnaar uitgeroepen.

Froukje holt naar de bank waarop haar vader en tante zitten. 'Goed van Roeland, hè?' roept ze vrolijk.

Ridder Berend knikt. 'Heel goed. Eén punt voor Roeland.'

'En ook een punt voor Diederik,' zegt tante Machteld.

Froukje begrijpt er niets van. 'Maar die heeft toch niets geraakt?'

'Een ridder moet hulpvaardig zijn, Froukje,' legt haar tante uit. 'Elkaar helpen, dat is veel belangrijker dan een keer toevallig de roos raken.'

'Het volgende onderdeel is de valkenjacht,' roept ridder Berend. 'Laat de valk maar komen.'

12. De valkenjacht

Hildebrand, de valkenier van het Muiderslot, komt het voorplein op lopen. Op zijn hand zit een jonge valk. Het dier heeft een leren kapje over zijn kop.

De valkenier kijkt uitdagend de kring rond en roept: 'Wie durft?'

Dat klinkt niet erg aanmoedigend. Aarzelend steken de jongens hun hand in de lucht. Van de meisjes doet alleen Riek stoer een stap naar voren.

'Deze jonge valk is voor de winnaar,' zegt Hildebrand.

'Ik doe mee,' zegt Froukje. 'Wat moeten we doen?'

'We gaan de loer draaien,' is het antwoord. 'Ik zal jullie vertellen hoe dat gaat. We werken steeds met tweetallen. De een houdt de vogel op de hand, de ander draait de loer.'

Hildebrand pakt een lang touw uit zijn tas en bindt aan het uiteinde een stukje vlees. 'Dit is de loer,' zegt hij. 'Ik zal jullie laten zien hoe het werkt. Froukje, help je me?'

Froukje schrikt. Moet zij beginnen? Ze heeft al wel eens toegekeken, maar nog nooit heeft ze zo'n grote roofvogel vastgehouden. Wat een scherpe snavel... En die klauwen!

Toch doet ze de handschoen aan die Hildebrand haar geeft. Voorzichtig laat hij de vogel overstappen op haar hand. Dan haalt hij het kapje van de kop van de valk. Het dier kijkt haar nieuwsgierig aan met zijn felle ogen.

45

'Ga daar maar staan,' zegt Hildebrand. Hij wijst Froukje een plek aan de andere kant van het plein.

Voetje voor voetje schuifelt Froukje ernaartoe. Daar staat ze, helemaal alleen, met de vogel op haar hand. Ze kijkt hem aan. Hij kijkt terug. Wat zou het dier nu denken?

'Los!' klinkt het plotseling. In het midden van het plein staat Hildebrand. Hij draait de loer rond in de lucht.

Froukje gooit de valk op. Met een paar vleugelslagen klimt hij hoog boven hun hoofden uit. Dan duikt hij naar beneden op het vlees af. Mis. Met een rukje aan het touw is Hildebrand hem net te snel af. De valk vliegt naar de ophaalbrug en gaat daar bovenop zitten.

'Roep hem maar,' zegt Hildebrand.

Froukje fluit op haar vingers. Ze hoopt dat de valk naar haar wil luisteren – en ja, de vogel zweeft naar haar toe en landt op haar uitgestrekte hand.

Meteen weet ze dat ze deze valk zelf wil hebben. Niemand anders mag er met dit mooie dier vandoor gaan.

'Je deed het geweldig.' Hildebrand neemt de roofvogel weer van haar over. Het spijt Froukje dat ze haar nieuwe vriendje moet laten gaan.

Nu krijgt Roeland de leren handschoen aan. De vogel wordt op zijn hand gezet en Froukje mag de loer draaien.

'Laat het touw maar flink vieren,' zegt Hildebrand.

Froukje draait de loer. In grote cirkels draait de prooi om haar heen.

Roeland gooit de valk in de lucht.

'Niet zo wild!' roept Hildebrand hem toe.

Keer op keer lukt het Froukje de loer net voor de snavel van de valk weg te trekken.

'Goed zo, Froukje,' zegt de valkenier. En tegen Roeland: 'Roep de vogel nu maar weer terug.'

Maar hoe Roeland ook roept en fluit, de valk blijft hoog boven hen cirkelen.

Froukje steekt haar vingers in haar mond. Tot haar eigen verbazing gehoorzaamt de valk meteen. Het dier komt in een glijvlucht op haar af. Ze heeft de loer met het stukje vlees in haar hand, maar die hand is niet beschermd. Toch bedenkt ze zich geen ogenblik. Froukje strekt haar hand uit en laat de valk op haar blote hand landen. De scherpe nagels groeven zich in haar vel en gretig eet de vogel het stukje vlees op.

'Dat zal wel pijn doen,' zegt Hildebrand lachend als hij de vogel van haar overneemt.

'Valt wel mee, hoor,' zegt Froukje stoer. Gelukkig ziet niemand de tranen in haar ogen.

13. Wie werpt de handschoen?

Na de valkenjacht is er iets te drinken voor iedereen. Froukjes vader kondigt de volgende opdracht aan.

'Een page moet altijd klaarstaan om zijn heer te helpen. Elk moment kan het nodig zijn om ten strijde te trekken. Dan helpt de page de ridder in zijn harnas. Laat maar eens zien wat jullie kunnen. Op die tafels daar liggen de stukken van twee harnassen, en ook de wapens die een ridder nodig heeft. Wie het snelst is, is de winnaar.'

Boer Harm en Binnert, de smid, staan al klaar. Steeds proberen twee kinderen hen om te toveren tot een echte ridder, compleet met alle wapens. Speelman Ruger houdt de tijd bij.

Het wordt een wilde race. De jongens duiken op de onderdelen van het harnas. Ze sjouwen met borststukken, helmen, zwaarden, knotsen, arm- en beenstukken.

Froukje kijkt toe. Dan valt haar plotseling iets vreemds op. Diederik bemoeit zich helemaal niet met de wedstrijd. Het lijkt wel of hij ruzie zoekt.

'Je hebt me beledigd,' hoort ze hem tegen Helmer zeggen.

'Hoe kom je daar nou bij?' roept de zoon van de smid verbaasd uit.

'Dat weet je best,' zegt Diederik kwaad. 'Als je ruzie wilt, kun je het krijgen.' En met een woest gebaar gooit hij zijn handschoen voor Helmer op de grond.

Helmer aarzelt geen moment. Hij grist een handschoen van de tafel, gooit die in de richting van Diederik en springt meteen op hem af.

Maar dan komt ridder Berend tussenbeide. 'Jongens, er wordt hier niet gevochten.'

'Ja, maar Diederik daagt me uit,' zegt Helmer.

'Daar heb ik niets mee te maken,' zegt Froukjes vader. 'Dit is een feest. Iedereen moet zich sportief gedragen. Hier wordt alleen eerlijk gevochten. Wie zich laat uitdagen, verliest een punt.'

Helmer sluipt weg met een rood gezicht. Maar Diederik gaat gewoon door met ruzie zoeken. Nu is Herman het slachtoffer.

'Wat doe jij hier eigenlijk?' vraagt Diederik.

Herman haalt zijn schouders op. 'Hoe bedoel je?'

'Je bent maar een gewone sukkel uit het dorp. Hoe durf

je hier te komen? Dit is een ridderfeest. Jouw vader is een domme boer.'

Froukje kan haar oren niet geloven. Denkt Diederik er echt zo over? Wat een verwend ventje!

Herman verschiet van kleur. Maar hij zegt niets.

'Ik daag je uit, lafaard!' roept Diederik en hij gooit de handschoen voor Hermans voeten. Die staat er beteuterd naar te kijken.

En weer stapt Froukjes vader naar voren. 'Zo is het wel genoeg, Diederik,' zegt hij. En dan, tegen Herman: 'Goed gedaan, hoor. Tijdens een ridderfeest wordt niet gevochten. Je krijgt er een punt bij.'

Herman wordt geroepen. Hij is aan de beurt om Binnert, de smid, zijn harnas om te doen.

Froukje blijft in de buurt van haar vader. Die geeft Diederik een klap op de schouder. 'Dat was een goed idee van je, Diederik.'

Een goed idee? Was dit hele gedoe met die handschoen een idee van Diederik? Langzaam begint Froukje er iets van te begrijpen. Het is een test. Zo kan haar vader zien wie een goede page is.

Natuurlijk moet een page leren vechten. Maar hij mag zich nooit laten uitdagen. En zeker niet als het feest is. Herman heeft zich goed gedragen. Hij liet Diederik maar kletsen. En Helmer? Die is vast een punt kwijtgeraakt. Eigen schuld.

Plotseling krijgt Froukje een goede ingeving. Wat Diederik kan, kan zij ook. Zij gaat ook een test doen. Een heel andere test: de jongens moeten maar eens laten zien hoe hoffelijk ze zijn.

14. Zakdoekje leggen

'Tante Machteld!'

'Ik ben hier, Froukje, bij het vuur.'

Froukjes tante helpt Dikke Lies met het roosteren van een varken. Druipend van het vet draait het beest rond aan het spit.

'Tante, mag ik uw zakdoek lenen?'

'Natuurlijk, meisje.' Froukjes tante haalt een mooi geborduurd zakdoekje tevoorschijn.

Froukje lacht geheimzinnig. 'U moet straks goed opletten,' zegt ze.

'Wat ben je van plan? Waarom kijk je zo ondeugend?'

'Dat merkt u vanzelf, tante Machteld.'

Froukje loopt terug naar het speelveld. Als een echte jonkvrouw schrijdt ze tussen de kinderen door. Voetje voor voetje. Kin in de lucht. Blik recht vooruit.

Daar is Herman. Lachend kijkt hij naar Helmer die probeert een borststuk op een rug te binden.

Zonder de boerenzoon aan te kijken loopt Froukje voorbij. Dan laat ze achteloos het zakdoekje los. Het dwarrelt op de grond, vlak voor Helmers voeten.

Er gebeurt niets. Pas als Froukje weer terug is bij haar tante, kijkt ze om. Helmer staat nog steeds te lachen. Het zakdoekje heeft hij niet gezien.

'Ik geloof dat ik het begin te begrijpen,' zegt Froukjes tante. 'Met zo'n zakdoekje proberen echte jonkvrouwen soms de aandacht van een ridder te trekken. Want een dame van adel kan natuurlijk nooit tegen een ridder zeggen dat ze hem aardig vindt. Dat is niet deftig. Nou, succes ermee.'

Froukje holt naar Helmer. Ze raapt het zakdoekje op en wandelt verder. Al snel ziet ze een nieuw slachtoffer. Diederik hangt onderuitgezakt op een bankje. Gulzig klokt hij een pul kinderbier naar binnen. Een snor van bier blijft achter op zijn bovenlip. Maar Froukje doet net of ze niets ziet. Zodra ze hem voorbij is, laat ze het zakdoekje los. Ze dwingt zichzelf niet achterom te kijken.

'Froukje!' Plotseling staat Diederik voor haar. Hij knielt en zegt: 'Schone jonkvrouw, kan het zijn dat dit mooie doekje van u is?'

'Dankjewel, jonkheer.' Froukje pakt het zakdoekje aan. 'Je hebt een punt verdiend.'

Diederik kijkt haar verbaasd aan. Froukje kan zich wel voor het hoofd slaan. Ze heeft haar geheim verklapt. Nu moet ze zich haasten; straks weten alle jongens wat ze aan het doen is.

Snel holt ze naar Roeland, die juist klaar is met het aankleden van boer Harm. Als ze bij hem in de buurt komt, begint ze weer deftig te lopen. Ze doet of ze de zoon van de speelman niet ziet. En hup, daar gaat het zakdoekje weer. Zonder om te kijken schrijdt Froukje verder.

Dan hoort ze plotseling: 'Hé, Frouk, is die snotlap van jou?'

Geschrokken kijkt ze achterom. Daar staat Roeland. Hij heeft het zijden zakdoekje opgeraapt. Giechelend snuit hij er zijn neus in en zegt: 'Wil je hem terug?'

Froukje loopt rood aan van woede. 'Hoe durf je! Geef hier!'

Roeland houdt het zakdoekje voor haar neus. Als ze het wil pakken, trekt hij het snel terug.

Froukje ontploft. Ze duikt op Roeland en rukt het zakdoekje uit zijn handen. Maar hij geeft haar een duw en samen rollen ze over de grond. Froukje grijpt Roeland bij zijn haar. Wat er ook gebeurt, ze laat zich niet klein krijgen door dat joch!

Net als het haar lukt om Roeland onder te krijgen, klinkt het: 'Wat krijgen we nu? Is mijn eigen dochter aan het vechten? Hou daar onmiddellijk mee op!'

Froukje en Roeland staan op. Roeland helpt haar om

het zand van haar jurk te slaan. 'Het was maar een geintje,' zegt hij.

'Een ridderfeest is geen vechtpartij,' zegt ridder Berend streng. 'Hoe vaak moet ik dat nog zeggen?'

'Maar Roeland...' begint Froukje. Haar vader laat haar niet uitspreken. 'Ik wil geen smoesjes horen. Geef elkaar een hand en sluit vrede.'

Roeland steekt zijn hand uit. 'Vrede,' zegt hij.

Froukje geeft een slap handje terug en mompelt: 'Vrede.' Snel draait ze zich om en holt naar haar tante.

'Kind, wat zie je eruit!' zegt tante Machteld geschrokken.

'Het geeft niet,' zegt Froukje alsof er niets is gebeurd. Maar ze is nog steeds woedend op Roeland met zijn flauwe geintje. Hoe durft hij de dochter van een ridder zo te beledigen?

15. Red een jonkvrouw

Alle kinderen staan aan de rand van de slotgracht. Ridder Berend legt uit wat de bedoeling is.

'Zien jullie dat raam daar, in de Oostertoren? In de torenkamer erachter zitten een paar schone jonkvrouwen opgesloten.'

'Echt? vraagt Diederik verbaasd.

'Nee, natuurlijk niet,' zegt Roeland. 'Het is maar een spel.'

Ridder Berend gaat onverstoorbaar verder. 'Jullie gaan die jonkvrouwen redden. Er zijn spullen voor jullie klaargelegd. Balken, planken, tonnen en touw in overvloed. Welke meisjes zijn bereid zich te laten opsluiten in de toren?'

'Ik doe niet mee!' Het is Griet. Ze doet een stap naar voren. 'Ik heb geen zin om vies te worden. Die gracht stinkt!'

Froukje kijkt naar Griet. Op haar jurk is nog geen vuiltje te zien. Griet is een dame. Ze ziet er veel deftiger uit dan Froukje. Ze draagt een dure kraag en gouden armbanden.

'Ik wil worden gered door Roeland,' zegt Rixt blozend.

'Komt in orde,' zegt Roeland.

Frida pakt snel de hand van haar broer Helmer. 'Wij winnen, hè broertje?'

'Ik ga Riek in veiligheid brengen,' zegt Herman.

Froukje geeft de boerenzoon een goede kans. Riek is een flinke meid. Die zal wel goed meewerken.

Ze kijkt om zich heen. Veel keus heeft ze niet meer... Diederik kijkt haar vragend aan. Froukje knikt.

'Je kunt op me rekenen,' zegt Diederik.

Maar daar is Froukje niet zo zeker van.

Samen met de andere meisjes loopt ze de slotbrug over. Ze gaat hen voor de wenteltrap op.

'Ik vind het maar eng,' zegt Klaasje. 'Er wonen hier toch geen spoken?'

'Eentje maar,' zegt Froukje lachend. 'Dat is het torenspook. Als je stil bent, doet hij niets.'

De meisjes achter haar durven niets meer te zeggen. Ze sluipen achter Froukje aan de trap op.

Voor de deur van de torenkamer blijft Froukje staan. 'Hier is het,' zegt ze en ze geeft een duw tegen de deur. Piepend gaat hij open. Rixt geeft een gil.

'Ik hoop dat we snel worden bevrijd,' zegt Riek. Froukje loopt snel naar het raam en gooit de luiken open.

Door het raam kunnen ze de jongens zien. Herman probeert op een houten ton de gracht over te steken. Maar de ton tolt rond en Herman belandt in het water.

'Laat maar zitten, hoor!' roept Riek hem toe. 'Ik pieker er niet over om op een ton over te varen.'

Frida wijst naar haar broer. 'Zien jullie dat? Helmer bouwt een vlot. Ik hoop dat het stevig wordt, want ik kan niet zwemmen.'

Froukje schrikt. Zij kan ook niet zwemmen. Hoe diep zou het water van de gracht zijn?

Op de kant beginnen ook de andere jongens aan het

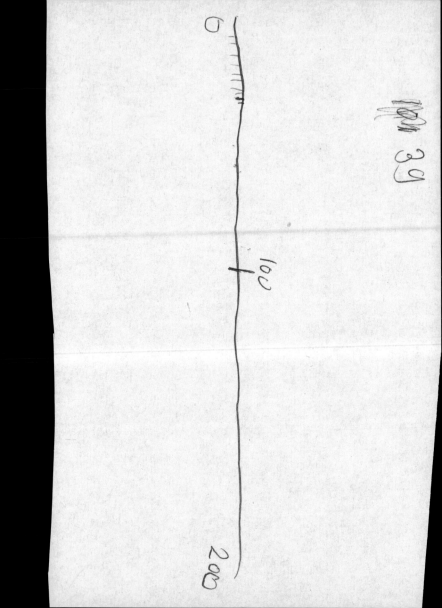

39

0

100

200

bouwen van vlotten. Helmer heeft alle lege tonnen inge-
pikt en Diederik sleept met een paar ronde palen. Hij
probeert ze met een touw aan elkaar te binden. Maar wat
hij ook doet, de knopen houden niet.

Froukje zet haar handen aan haar mond en roept: 'Je
moet een lus maken en dan het touw erdoorheen halen.
Denk maar aan borduren!'

'Ik weet niet of Diederik verstand heeft van borduren,'
zegt Rixt lachend.

Het vlot met Helmer botst tegen de torenmuur.

'Wat moet ik nu doen?' roept Frida naar haar broer.

Helmer haalt zijn schouders op. 'Ik weet het niet. Die
muur is veel hoger dan ik dacht. Heb je geen ladder?'

'Nee, broertje, die heb ik niet. Ga maar terug om er zelf
een te halen.'

Teleurgesteld peddelt Helmer terug naar de overkant.

Dan laten Roeland en Herman hun vaartuigen te
water. Roeland heeft een flink stuk touw om zijn schouders gehangen. Op het vlot van Herman staat een mast.

'Die mast mag jij straks als ladder gebruiken,' zegt
Froukje tegen Riek.

'Geen probleem,' zegt Riek. 'Ik ben nergens bang voor.'

Roeland en Helmer bereiken gelijktijdig de torenmuur. Roeland gooit het touw op, en Rixt grijpt het uiteinde beet.

'Kun je het ergens aan vastbinden?' vraagt Roeland.

Rixt kijkt om zich heen.

'Aan de poot van het hemelbed?' oppert Froukje. Ze
helpt haar om het touw vast te maken. Dan laat Rixt zich
over de rand van de vensterbank naar beneden zakken.

Ondertussen heeft Riek de mast van Hermans vlot te pakken en klautert omlaag.

Froukje en Frida kijken elkaar aan. 'Ze laten ons lelijk zitten,' zegt Frida.

Aan de overkant kijkt Diederik werkeloos toe hoe Helmer van een paar lange stokken en touw een ladder maakt.

Plotseling krijgt Froukje een idee. 'Diederik!' roept ze. 'Bind dat dikke touw aan het dunne. Knoop het dunne touw vast aan een steen en gooi die naar mij toe.'

Het duurt even voor Diederik begrijpt wat Froukje van plan is, maar dan gaat hij snel aan het werk.

Op het water van de slotgracht is het een wilde boel. Halverwege botsen de vlotten van Roeland en Helmer op elkaar. Roeland verliest zijn evenwicht. Maar Froukje kan niet goed zien wat er verder gebeurt. Ze moet wegduiken voor de steen die Diederik door het open raam probeert te gooien. Mis. De steen knalt tegen de muur.

'Help, ik kan niet zwemmen!' klinkt het onder haar. Is dat Roeland? Froukje durft niet te kijken. Dat is maar goed ook, want even later valt Diederiks steen met een bons op de houten vloer.

Froukje pakt het dunne touw en begint het zo snel ze kan binnen te halen. Al gauw krijgt ze het dikke touw te pakken. Ze trekt het strak en bindt het vast aan het bed.

Dan pas neemt ze de tijd om te kijken wat er onder haar gebeurt. Roeland spartelt in de gracht. Af en toe verdwijnt zijn hoofd onder water. Gelukkig komen Helmer en Herman eraan. Ze trekken Roeland op zijn vlot.

'Froukje, waar blijf je nou?'

Het is Diederik die haar roept. Hij heeft het andere eind van het touw aan een kar vastgebonden.

Froukje kruipt op de vensterbank en gaat op het touw liggen. Dat begint vervaarlijk heen en weer te zwiepen. Even denkt ze aan haar mooie jurk, dan begint ze zich hand over hand naar de overkant te trekken. Als ze er bijna is, verliest ze plotseling haar evenwicht en hangt ze onder aan het touw. Op dat moment komt vlak onder haar het vlot van Roeland voorbij. Froukje laat los en belandt bij Rixt op schoot.

Het vlot krijgt meteen vaart en glijdt naar de overkant. Juichend springt Roeland op de wal. 'Ik heb gewonnen! Ik heb dubbel gewonnen.'

Rixt valt hem om de hals en samen doen ze een rondedansje.

Froukje kijkt naar Diederik. Hij staat er beteuterd bij te kijken. Roeland geeft hem een klap op zijn schouder.

'Ben je soms te lui om een vlot te bouwen, riddertje? Wees maar blij dat ik jouw jonkvrouwtje voor je heb gered, anders zat ze haar hele leven opgesloten.'

Froukje verbijt haar woede. Er is niets aan te veranderen: Roeland verdient een punt. En misschien wel twee. Maar is dit wel helemaal eerlijk gegaan?

16. Het bal

'Aan tafel!' roept tante Machteld.

De kinderen schuiven aan. Klaasje deelt de broodborden uit. De keukenmeid gaat rond met het vlees.

Roelands vader speelt op de luit. Maar zingen kan hij niet, want hij heeft zijn mond volgepropt met lekkernijen.

'Wie heeft dit bord gemaakt?' vraagt Roeland.

'Is dat een broodbord?' vraagt Rixt. 'Het lijkt meer op een broodkei.' Het bord zeilt door de lucht en belandt tussen de honden.

Froukje schaamt zich. Ze herkent haar eigen misbaksel.

Roeland pakt een punt van Froukjes rok en veegt er zijn vette mond mee af.

'Roeland, gedraag je!' zegt tante Machteld streng.

Roeland kijkt of hij niets raars heeft gedaan.

Dat kost je een punt, mannetje, denkt Froukje. Zoiets doet een echte ridder niet.

Langzaam verdwijnt de zon achter de muren van het kasteel.

'Het feest is afgelopen,' zegt ridder Berend. 'We gaan de boel opruimen.'

'Nu al?' vraagt Froukje. 'Er komt toch wel een bal? Ik wil dansen.'

Haar vader kijkt naar zijn zus. 'Wat vind jij, Machteld?'

'Het wordt al een beetje fris buiten.'

'Kan het dan niet binnen, in de ridderzaal?' houdt Froukje vol. 'Gezellig, bij het haardvuur.'

'Vooruit dan maar,' zegt haar vader. 'Maar alleen als alles keurig netjes is opgeruimd.'

Meteen gaan de kinderen aan de slag. De vlotten en de kraampjes worden afgebroken. De etensresten worden opgeruimd.

Als ze klaar zijn, loopt iedereen in een optocht de slotbrug over om het kasteel binnen te gaan. In de ridderzaal brandt een gezellig haardvuur. Aan de muren worden brandende toortsen gehangen.

Speelman Ruger stemt zijn luit. Roeland legt zijn eigen instrumenten klaar: de houten fluit, de trommel en de rinkelbellen.

'Vader, wie heeft er nu eigenlijk gewonnen?' vraagt Froukje.

Alle kinderen spitsen de oren.

'Dat maak ik morgen bekend, mijn lieve dochter,' antwoordt ridder Berend. 'Ik moet eerst met tante Machteld praten.'

Dan begint de muziek. De meisjes gaan naast elkaar staan. Tegenover hen stellen de jongens zich op.

Griet kijkt deftig voor zich uit. Ze voelt zich vast heel voornaam nu ze in de ridderzaal van het kasteel mag dansen. Diederik maakt een buiging voor Griet en zegt: 'Mag ik deze dans van u?'

'Graag,' antwoordt Griet. In haar lange jurk ziet ze er prachtig uit.

Speelman Ruger tokkelt op de luit. Maar de trommel blijft stil, want Roeland is opgesprongen en tegenover Froukje komen staan.

'Zullen we?' vraagt hij. Hij pakt Froukje beet en begint wild op en neer te springen.

Froukje worstelt zich los. 'Wat doe je nu? We zijn nog niet eens begonnen.' Ze wacht tot de speelman de juiste maat aangeeft. Dan doet ze een stap naar voren, een stap naar achteren, weer een naar voren en dan naar opzij. Ze pakt Roelands hand en samen draaien ze een rondje.

De speelman zingt:

Draai maar rond, draai maar rond.
Til je voetjes van de grond.
Een page die niet dansen kan
begrijpt er helemaal niets van.

Roeland doet zijn best om zo mooi mogelijk te dansen. Hij kijkt Froukje aan of ze de koningin van Egypte is. Plotseling geeft hij haar een duwtje en zegt: 'Je kunt mij toch wel verklappen wie er gaat winnen?'

'Ik heb geen idee,' zegt Froukje.

'Kun je mij niet laten winnen?'

'Wat een brutale vragen,' antwoordt Froukje. In haar hart weet ze dat Roeland een goede kans maakt. Hij heeft waarschijnlijk de meeste punten van iedereen.

'Wisselen maar!' roept de speelman.

Froukje laat de hand van Roeland los, draait een rondje en komt voor Herman te staan.

Stap naar voren, stap naar achteren, weer naar voren en naar opzij.

En de speelman zingt:

Draai maar rond, draai maar rond.
Til je voetjes van de grond.
Ook al heeft een boer geen zwaard,
toch zit hij stevig op zijn paard.

Met een kop als vuur draait Herman om Froukje heen. Zonder haar aan te kijken staart hij naar zijn klompen. Hoeveel punten zou Herman hebben? Hij is groot en sterk. Hij wordt vast een goede boer, maar voor page is hij ongeschikt.

64

'En wisselen maar,' roept de speelman.

Froukje draait zich om. Bijna valt ze over de water-vlugge Klaasje die op haar blote voetjes in de rondte zwiert. Ze wordt opgevangen door Helmer, de zoon van de smid.

Het lied van de speelman gaat verder:

Draai maar rond, draai maar rond.
Til je voetjes van de grond.
Een page moet zijn ridder kleden.
Maar alleen de smid kan een harnas smeden.

Het wordt een wilde dans. Froukje wordt er duizelig van.

'Hoe zou je het vinden om te winnen?' vraagt Froukje.

'Ik win niet,' is het antwoord.

'Waarom niet?'

'Je hoort toch wat de speelman zingt? Ik ben de zoon van een smid. Als ik groot ben, ga ik zwaarden maken. En harnassen. Dat is mijn toekomst.'

'En wisselen maar weer,' roept de speelman.

Nu komt Froukje tegenover Diederik te staan. Hij buigt voor haar. Froukje knikt vriendelijk terug. Deze zoon van een graaf weet tenminste hoe het hoort. Precies in de maat stappen ze naar voren, naar achteren, weer naar voren en naar opzij.

De speelman zingt het volgende couplet:

Draai maar rond, draai maar rond.
Til je voetjes van de grond.
Ben je aan je vrijheid erg gehecht?
Een page doet wat zijn ridder zegt.

Froukje luistert naar het lied. Wat bedoelt de speelman ermee? Heeft hij het over Diederik? Of over Roeland?

Wat zijn die jongens toch verschillend! Roeland is een vrijbuiter. Hij wil graag winnen. Maar wil hij wel op een kasteel wonen? Kan hij gehoorzaam doen wat hem wordt opgedragen? Vast niet. Nee, dan Diederik, die is als zoon van een graaf wel heel verwend, maar hij weet wat hem te wachten staat. Hij is hoffelijk en hulpvaardig. En hij kan dansen!

Na de reidans doen de meisjes uit het dorp een klompendans. En Roeland laat zien hoe de Arabieren dansen. 'Dan moeten de meisjes met hun buik schudden,' zegt hij. Maar de meisjes kijken wel uit.

'Het is mooi geweest,' zegt ridder Berend. 'Morgenmiddag om twaalf uur zal ik de winnaar bekendmaken. Ik wens jullie een goede nacht.'

17. Punten tellen

Froukje zit in haar nachthemd op de rand van haar bed. Tante Machteld kijkt zuchtend naar Froukjes jurk. 'Ik zal mijn best doen, maar ik ben bang dat je die scheuren altijd blijft zien.'

'Zal ik het zelf proberen, tante?' vraagt Froukje. 'Nu je me hebt leren borduren, kan ik ook wel een jurk herstellen.'

'Ga jij maar lekker slapen. Het is al laat.' Tante Machteld blaast de kaars uit die naast Froukjes bed staat.

'Wat was het een leuk feest, hè tante?' zegt Froukje.

'Ja, meisje, het was geweldig. Helaas begint morgen het gewone leven weer. De speelman en zijn zoon vertrekken naar andere dorpen en steden.'

'Behalve als Roeland de wedstrijd wint, tante,' zegt Froukje. 'Want dan wordt hij vaders nieuwe page.'

'Denk je dan dat hij gaat winnen?'

'Het zou best kunnen,' zegt Froukje. 'Roeland is heel sportief. Hij heeft gewonnen met boogschieten. Hij was de eerste die zijn jonkvrouw had gered. En ik denk dat vader hem ook een punt heeft gegeven voor het mooiste gedicht. Hij maakt een goede kans. Maar het hangt ervan af wat vader belangrijk vindt.'

Tante Machteld loopt naar het raam om het luik dicht te doen. 'Je hebt gelijk. Roeland is handig. Hij kon het snelst zijn hoen kaal plukken. Maar wat vind jíj belangrijk?'

Froukje denkt na. Roeland is stoer en grappig. Hij doet heel erg zijn best om te winnen. Of het er eerlijk aan toe gaat, kan hem weinig schelen. Kan zo'n jongen wel een goede schildknaap zijn?

'Weet je wie ik zou laten winnen?' Tante Machteld staat bij het raam, met haar rug naar Froukje toe.

'Nee, tante. Vertel eens.'

'Het is een meisje. Ze heet Klaasje,' zegt Froukjes tante. 'Ze is behulpzaam. Ze is eerlijk. Ze is gehoorzaam. En ze is niet bang. Zo'n meisje zouden we goed kunnen gebruiken op het slot. Ze wordt vast een goede hofdame.'

'En wie van de jongens vond je het beste, tante?'

'Dat is lastig, Froukje. Er zijn twee jongens die een goede kans maken: Diederik en Roeland.'

'En wat gaat er nu gebeuren?'

'Morgen horen we wat je vader heeft besloten. Welterusten.' Met een klap duwt tante Machteld het luik dicht. Het is meteen pikdonker in de kamer.

'Welterusten, tante,' zegt Froukje. Maar er komt geen antwoord meer. Froukje blijft alleen achter in haar grote hemelbed. Wie zal er winnen? Razende Roeland of deftige Diederik?

18. De beslissing

Froukje is al vroeg wakker. Ze trekt dezelfde vuile jurk aan en loopt naar de keuken. Daar vindt ze haar vader en haar tante. Dikke Lies kookt pap.

'Goedemorgen, dochter,' zegt ridder Berend.

Froukje schuift aan. De keukenmeid schept pap in een kom en zet hem voor haar op de tafel.

'Wat was het leuk hè, gisteren?' zegt Froukje.

'Ja, zeer geslaagd,' mompelt haar vader. 'Maar ik ben er nog steeds niet uit. Wie moet ik kiezen? Jij als meisje denkt natuurlijk dat die Roeland een leuke vriend is om op het kasteel te hebben. Maar voor mij als ridder is die jongen niet geschikt. Wat weet zo'n muzikantenkind nou van ridders en van kastelen?'

Froukje steekt haar lepel in de pap. Ze denkt aan Roeland. Op een kasteel wonen is niets voor hem. Roeland moet vrij zijn als een vogel. Ze zegt tegen tante Machteld: 'Vader heeft wel gelijk. Roeland zal nooit een goede page worden.'

'Maar je vond Diederik toch een verwend joch?' zegt ridder Berend.

Froukje knikt. 'Ja, hij is erg verwend. En hij denkt dat hij alles beter weet. Net als ik.'

'Net als jij?' vraagt tante Machteld verbaasd.

'Dat gaat vanzelf,' antwoordt Froukje. 'Als je het kind bent van een ridder of een graaf, word je vanzelf eigenwijs. Daarom is het goed dat ieder kind moet beginnen als hulpje. Een page moet harnassen poetsen.'

'En Roeland dan?' vraagt ridder Berend.

'Roeland wil graag winnen,' zegt Froukje. 'Maar hij zal ook opgelucht zijn als hij bij de verliezers hoort. Hij houdt zijn vrijheid. Een valk kun je temmen. Je kunt hem een kapje over zijn kop doen, dan blijft hij kalm. Maar een muzikant is geen vogel die je kunt africhten. Een muzikant reist de wereld rond.'

Als de zon op zijn hoogst staat, loopt het binnenplein vol. Froukje gluurt door het raam van haar slaapkamer naar beneden. Daar staan ze, alle kinderen die hebben meegedaan. Boerenzoon Herman staat naast zijn vader. Wat lijken die twee op elkaar! Helmer en Frida doen een dansje op de muziek van speelman Ruger. Klaasje helpt Dikke Lies met het uitdelen van eten en drinken: de restjes van het ridderfeest.

Diederik zit apart. Zenuwachtig kijkt hij in het rond. Dan stapt Roeland op hem af. De jongens geven elkaar een hand. Daar is Froukje blij om. Ze hebben vrede gesloten.

Over de slotbrug komt deftig volk aanwandelen. Het zijn Griet en haar ouders. Griet heeft een nog mooiere jurk aan dan gisteren.

Snel haalt Froukje een schone jurk uit haar klerenkist. Ze wil niet onderdoen voor de dochter van een koopman.

'Kom je nou?' klinkt de stem van ridder Berend. 'De mensen wachten op ons.'

Froukje haast zich naar beneden. Samen met haar

vader en tante Machteld daalt ze de trap af. De dorpelingen gaan in een kring om hen heen staan.

Dan neemt ridder Berend het woord. Met luide stem zegt hij: 'Fijn dat jullie allemaal zijn gekomen. Mijn zuster en ik hebben gisteren goed opgelet. Wie op het Muiderslot wil komen werken, moet goed kunnen luisteren. Zoals jullie weten, ben ik op zoek naar een page. Wie dat geworden is, zal ik zo dadelijk bekend maken. Maar eerst wil ik graag aandacht vragen voor een meisje. Klaasje, wil je naar voren komen?'

Op het binnenplein wordt verbaasd gereageerd.

'Klaasje?'

'Een meisje als page?'

'Applaus voor Klaasje!'

Op haar blote voeten huppelt Klaasje naar voren. Ridder Berend tilt haar op de rand van de waterput.

'Klaasje, zou je bij ons op het Muiderslot willen komen

wonen? We kunnen je hulp goed gebruiken. Tante Machteld kan een echte hofdame van je maken.'

'Ja!' juicht Klaasje. Ze springt zo wild op en neer dat ze bijna in de waterput valt.

'En dan zijn nu de jongens aan de beurt,' gaat ridder Berend verder. 'Met ieder vier punten zijn twee jongens het hoogst geëindigd. Maar er kan natuurlijk maar één winnaar zijn. Speelman, roer je trom!'

Er klinkt tromgeroffel. Ridder Berend roept: 'De winnaar is... Diederik!'

Meteen ontstaat er een druk geroezemoes.

'Dat is niet eerlijk,' roept iemand. 'En Roeland dan?'

'Ik protesteer!' roept een ander. 'Die Diederik wordt voorgetrokken.'

Iedereen kijkt naar Roeland. De jongen doet aarzelend een stap naar voren en zegt: 'Ik vind dat Diederik de beste winnaar is.'

'En jij dan?' klinkt het uit het publiek.

Roeland haalt zijn schouders op. 'Ik wil speelman worden, net als mijn vader.'

'Dan wensen we jou het allerbeste,' zegt ridder Berend. 'We zijn trots op je. Maar loop nog niet weg, want we hebben nog een prijs voor je. Valkenier...!'

Door de poort wandelt Hildebrand het plein op. Op zijn hand heeft hij de jonge valk.'

'Die is voor jou, Roeland,' zegt ridder Berend. 'Je hebt hem eerlijk gewonnen.'

Roeland krijgt applaus. Buigend neemt hij de vogel in ontvangst. Maar dan loopt hij naar Froukje en zegt: 'Ik ben heel blij met mijn prijs. Toch wil ik hem graag aan iemand geven die er nog veel meer recht op heeft.' Hij knielt en kust Froukjes hand. 'Froukje, volgens mij hoort de valk bij jou.'

'Je krijgt al heel goede riddermanieren,' zegt Froukje lachend. 'Ik zal altijd aan je denken. En daarom noem ik mijn valk naar jou: Roeland.'

Froukjes belofte wordt met gejuich begroet.

'Dan is het nu tijd om afscheid te nemen,' zegt Roelands vader.

'Kan er niet nog één liedje vanaf, speelman?' vraagt ridder Berend.

Ruger pakt zijn luit en gaat op de rand van de waterput zitten. Terwijl de speelman de snaren van zijn luit stemt, komt Diederik naast Froukje staan.

'Froukje, ik ben heel blij dat ik bij jullie mag komen wonen. Ik zal heel goed mijn best doen.'

Froukje knikt. 'Je was gewoon de beste, Diederik. Ik hoop dat je het hier naar je zin zult hebben. We worden vast vrienden.'

Haar laatste woorden verdwijnen in de muziek. Het afscheidslied van de speelman is begonnen.

Ben je wel eens in Muiden geweest?
daar was een heel groot ridderfeest.
De winnaar van dit groots festijn,
mag ridder Berends page zijn.

Maar weten jullie wat ik eigenlijk vind?
Er schuilt een ridder in ieder kind.
En elk meisje – dapper, groot of klein,
wil graag een echte jonkvrouw zijn.

Nu komt er een einde aan het feest.
Het is ook werkelijk mooi geweest.
Kinderen, zwaai maar naar elkaar
en roep in koor: Tot volgend jaar!'